Collection

malins plaisirs

Des livres qui mettent l'eau à la bouche!

Gouvernement du Québec – Programme de crédit d'impôt
pour l'édition de livres – Gestion Sodec

Soupes

83 recettes pour cuisiner des soupes et des potages savoureux!

Par Marie-Jo Gauthier

les malins
éditions

Table des matières

Introduction

La collection Malins Plaisirs propose des livres de recettes
qui vous mettront l'eau à la bouche!
Des recettes originales à la portée de tous, de superbes
photos et des sujets variés : une collection parfaite pour
toutes les cuisines, et toutes les bouches!

Que ce soit comme entrée ou comme plat principal,
la soupe joue un rôle irremplaçable dans notre alimentation.
Voici 83 recettes de soupes originales et variées qui vous
feront faire le tour du monde et découvrir une foule
de saveurs délicieuses.

À la soupe!

Bouillon de légumes

Mettre tous les ingrédients dans une grande casserole et porter à ébullition.

Baisser à feu doux et laisser mijoter 2 heures à découvert.

Ingrédients

2 carottes hachées

1 panais haché

1 poireau haché

2 oignons hachés

6 branches de céleri hachées

4 feuilles de laurier

1 bouquet de persil frais

1 c. à thé de poivre noir en grains

12 tasses d'eau

Bouillon de Poulet

Ingrédients

4 lb d'os ou de carcasse de poulet

1 poireau haché

2 oignons hachés

2 branches de céleri hachées

2 carottes hachées

2 feuilles de laurier

2 c. à thé de poivre noir en grains

20 tasses d'eau

Mettre tous les ingrédients dans une grande casserole et porter à ébullition.

Baisser à feu doux et laisser mijoter 2 heures à découvert.

Passer le mélange au tamis fin.

Dégraisser lorsque le bouillon sera refroidi.

Bouillon de Poulet

Ingrédients

4 lb d'os à moelle

2 oignons coupés en morceaux

1 carotte

2 branches de céleri

1 poireau

2 c. à thé de poivre noir en grains

3 branches de persil

3 feuilles de laurier

20 tasses d'eau (1re quantité)

12 tasses d'eau (2e quantité)

Bouillon de bœuf

Mettre les os et les oignons dans un plat allant au four. Cuire à 400°F durant 1 heure sans couvrir. Transférer le contenu du plat dans une grande casserole. Ajouter la carotte, le céleri, le poireau, les feuilles de laurier, le persil, le poivre et la première quantité d'eau.

Laisser mijoter 3 heures à découvert. Ajouter la deuxième quantité d'eau.

Laisser mijoter 1 heure à découvert. Passer le mélange au tamis fin. Dégraisser lorsque le bouillon sera refroidi.

Ingrédients

1 c. à soupe de beurre

1 oignon haché

2 pommes de terre pelées et coupées en dés

1 1/2 tasse de maïs en grains

1/2 tasse de bouillon de poulet

1 c. à thé d'oignons verts hachés

1/2 c. à thé de poudre d'ail

1 c. à thé de poivre

1/2 c. à thé de sel

1 tasse de lait

1 c. à soupe de farine

Crème de maïs

Dans une casserole, faire bouillir les pommes de terre. Égoutter et réserver. Remettre la casserole sur le feu et faire chauffer le beurre. Ajouter l'oignon et le faire revenir quelques minutes à feu moyen-vif. Ajouter le bouillon de poulet, les pommes de terre, le maïs en grains, les oignons verts et la poudre d'ail. Porter à ébullition et laisser mijoter 10 minutes.

Dans un bol, mélanger la farine et le lait et les ajouter au mélange. Porter à ébullition à feu moyen-vif en brassant constamment jusqu'à épaississement. Ajouter le sel et le poivre. Réduire le mélange en purée dans un robot culinaire. Remettre le mélange dans la casserole et laisser mijoter jusqu'à obtenir la température désirée. Servir.

Crème de maïs

Potage de betteraves

Potage de citrouille

Découper le sommet de la citrouille, enlever les graines
et les filaments, détacher la chair et la réserver dans un bol
Dans une casserole, mettre le bouillon de poulet, la chair de citrouille,
les pommes de terre, les carottes, l'oignon et le poireau.
Porter à ébullition à feu moyen-vif et laisser mijoter 30 minutes.
Réduire le mélange en purée dans un robot culinaire
Remettre le mélange dans la casserole, ajouter la crème,
le sel et le poivre, et laisser mijoter à feu moyen
jusqu'à obtenir la température désirée.
Servir.

Présentation :
garnir avec une touche de crème.

Ingrédients

1 citrouille

3 pommes de terre pelées
et coupées en dés

1 oignon haché

2 carottes pelées
et coupées en morceaux

1 blanc de poireau tranché

12 tasses de bouillon de poulet

1 tasse de crème 10 %

1 c. à thé de sel

1 c. à thé de poivre

Potage de betteraves

Dans une casserole, faire chauffer l'huile d'olive. Ajouter l'oignon et le
faire revenir à feu moyen-vif jusqu'à ce qu'il ramollisse. Ajouter le bouillon
de bœuf et porter à ébullition. Ajouter les pommes de terre
et les betteraves et laisser mijoter 30 minutes`à feu moyen.
Ajouter le vinaigre et le poivre et laisser mijoter 2 minutes.
Retirer la casserole du feu et réduire le mélange en purée en petites
quantités dans un robot culinaire. Remettre sur le feu et laisser mijoter
jusqu'à obtenir la température désirée. Garnir avec les branches de persil
et une touche de crème fraîche. Servir.

Ingrédients

1 c. à soupe d'huile d'olive

6 betteraves moyennes

1 oignon moyen haché

1 pomme de terre

3 tasses de bouillon de bœuf

1 c. à thé de vinaigre de vin rouge

1 c. à thé de poivre noir

1/2 tasse de crème fraîche

Quelques branches de persil

Potage de courges

Dans une casserole, faire sauter les oignons, le céleri et les morceaux de courges à feu moyen-vif jusqu'à ce que les oignons soient translucides.

Ajouter le bouillon, le poivre et le sel.

Réduire à feu moyen-doux et laisser mijoter 15 minutes, puis retirer du feu.

Ajouter les oignons verts et laisser mijoter 2 minutes.

Réduire le mélange en purée dans un robot culinaire une petite quantité à la fois. Remettre le mélange sur le feu et laisser mijoter en brassant de temps à autre jusqu'à atteindre la température désirée.

Servir.

Ingrédients

2 oignons hachés

3 branches de céleri hachées

3 tasses de courges pelées et coupées en dés

2 c. à soupe de beurre

3 tasses de bouillon de légumes

2 c. à soupe de poivre

1 c. à soupe de sel

1/3 de tasse d'oignons verts hachés

Potage de pommes et poireaux

Porter à ébullition à feu élevé une casserole remplie d'eau.

Mettre les poireaux et les pommes de terre et faire blanchir les poireaux, soit environ 5 minutes.

Retirer les poireaux et laisser les pommes de terre cuire 10 minutes de plus.

Retirer la casserole du feu et égoutter.

Remettre la casserole sur le feu, ajouter le beurre et l'huile d'olive et y faire revenir les poireaux et la pomme de terre à feu moyen-vif jusqu'à ce qu'ils atteignent une couleur dorée.

Ajouter le bouillon de poulet et le cumin. Laisser mijoter 15 minutes. Ajouter les pommes. Laisser mijoter encore 5 minutes, puis retirer du feu.

Réduire le mélange en purée en petites quantités dans un robot culinaire.

Remettre le mélange dans la casserole et ajouter la crème.

Laisser mijoter en brassant de temps à autre jusqu'à obtenir la température désirée.

Servir.

Ingrédients

3 pommes pelées et coupées en dés sans le cœur

3 blancs de poireau

1 pomme de terre pelée et coupée en morceaux

4 tasses de bouillon de poulet

2 c. à thé de cumin

1/2 tasse de crème 15 %

1 c. à thé de beurre

1 c. à thé d'huile d'olive

Potage de pommes et poireaux

Potage de courgettes et aneth

Potage de poivrons

Préchauffer le four à gril.

Déposer les poivrons sur une plaque et la placer
sur la grille la plus haute du four. Les retourner régulièrement.

Lorsque les poivrons sont cuits, les mettre de côté
pour les laisser refroidir.

Enlever la peau des poivrons et les pépins.

Les couper en morceaux et les mettre de côté.

Dans une casserole, faire chauffer l'huile d'olive.

Ajouter l'oignon et l'ail et les faire revenir 5 minutes à feu moyen.

Ajouter les poivrons et les faire revenir 2 à 3 minutes.

Ajouter le bouillon de poulet et les haricots en brassant constamment.

Laisser mijoter 5 minutes. Réduire le mélange en purée en petites
quantités dans un robot culinaire. Remettre la soupe dans la casserole
et laisser mijoter 5 minutes.

Servir.

Ingrédients

1 poivron rouge

1 poivron vert

1 poivron jaune

1 oignon haché

1 gousse d'ail hachée

1 c. à soupe de persil haché

1 c. à soupe d'huile d'olive

2 boîtes (19oz) de haricots rouges

1 3/4 tasse de bouillon de poulet

1/2 c. à thé de sel

1/2 c. à thé de poivre

Potage
de courgettes et aneth

Dans une casserole, faire fondre le beurre à feu moyen-vif.

Ajouter les courgettes, l'oignon, l'ail et l'aneth. Faire revenir jusqu'à
ce que les légumes soient tendres, soit environ 10 minutes.

Retirer du feu et laisser refroidir environ 15 minutes.

Réduire le mélange en purée en petites quantités
dans un robot culinaire.

Remettre le mélange dans la casserole, ajouter le sel et le poivre,
et laisser mijoter à feu moyen-doux environ 10 minutes.

Servir la crème dans des bols et ajouter une touche
de crème sure sur le dessus.

Ingrédients

1 c. à soupe de beurre

3 courgettes coupées
en fines rondelles

1/2 oignon haché

1 gousse d'ail hachée

1 c. à soupe d'aneth

1 tasse de bouillon de poulet

1/2 c. à thé de sel

1/2 c. à thé de poivre

Crème sure

Crème de poulet et légumes

Bisque de crabe

Dans une grande casserole, faire un roux en mélangeant le beurre et la farine à feu moyen-vif jusqu'à obtenir une couleur dorée.

Ajouter le céleri et l'oignon et cuire jusqu'à ce qu'ils soient tendres.

Ajouter le bouillon de poulet, le lait, le clou de girofle, le sel d'ail, le tabasco, la sauce Worcestershire, la sauce tomate et la feuille de laurier.

Réduire à feu doux et laisser mijoter 1 ou 2 heures.

Retirer la feuille de laurier et l'huile accumulée sur le dessus de la soupe.

Ajouter le crabe et chauffer à feu moyen-vif.

Passer le mélange en petites quantités au robot culinaire et mélanger jusqu'à obtenir une consistance crémeuse.

Avant de servir, ajouter une touche de crème et quelques morceaux d'oignon vert dans chaque bol.

Servir.

Ingrédients

1/2 tasse de beurre

1/2 tasse de farine

4 branches de céleri coupées en morceaux

1 oignon coupé en morceaux

1 oignon vert coupé en morceaux

1 1/2 tasse de bouillon de poulet

2 tasses de lait

1 pincée de clou de girofle moulu

1/4 de c. à thé de sel d'ail

1/2 c. à thé de poivre

3 gouttes de tabasco

1 c. à soupe de sauce Worcestershire

1 boîte (8 oz) de sauce tomate

1 feuille de laurier

2 tasses de viande de crabe

1/4 de tasse de crème 10 %

Crème de poulet et légumes

Dans une casserole, faire sauter l'oignon dans le beurre jusqu'à ce qu'il soit tendre. Ajouter le bouillon de poulet, le poulet et les légumes. Couvrir et laisser mijoter à feu moyen-doux jusqu'à ce que les légumes soient tendres. Dans un bol, mélanger la farine avec un peu de lait jusqu'à obtenir une texture crémeuse. Ajouter le reste du lait, le sel et le poivre. Ajouter le mélange à la soupe. Laisser mijoter en brassant de temps à autre jusqu'à ce que la soupe épaississe.

Servir.

Ingrédients

1 oignon coupé en morceaux

2 c. à soupe de beurre

2 tasses de bouillon de poulet

2 tasses de poitrine de poulet désossée, cuite et coupée en morceaux.

1 branche de céleri coupée en morceaux

2 carottes coupées en morceaux

2 1/2 tasses de lait

1 c. à soupe de farine

1/2 c. à soupe de poivre

Ingrédients

1/4 de tasse de beurre

2 poireaux coupés en rondelles

1 oignon coupé en morceaux

5 grosses têtes de champignons portobellos

4 champignons de Paris tranchés

1 oignon vert tranché

1/4 de tasse de farine

3 tasses de bouillon de poulet

1 tasse de lait

1 tasse de crème 10 %

1 c. à soupe de poivre de Cayenne

1/2 c. à thé de sel

1/2 c. à thé de poivre noir moulu

Crème aux champignons

Faire fondre le beurre dans une casserole à feu moyen.

Faire sauter l'oignon, les poireaux et l'oignon vert dans le beurre environ 10 minutes en remuant fréquemment. Ajouter les champignons et les faire sauter 5 minutes. Réduire à feu doux.

Ajouter la farine. Remuer constamment durant 3 minutes ou jusqu'à obtenir une texture épaisse. Ajouter le bouillon de poulet

Porter la soupe à ébullition à feu moyen-élevé.

Réduire à feu doux. Laisser chauffer 10 minutes.

Retirer du feu et passer le mélange au robot culinaire, puis remettre dans la casserole. Ajouter le lait et la crème. Laisser chauffer 10 minutes en remuant fréquemment. Ajouter le poivre de Cayenne, le sel et le poivre noir.

Servir.

Ingrédients

1 lb d'asperges fraîches

1 oignon coupé en morceaux

5 tasses de bouillon de poulet

1 poireau

1 patate coupée en morceaux

3 c. À s. De crème 35%

1/2 c. À t. De gros sel

1/2 c. À t. De poivre noir moulu.

Crème d'asperges

Enlever le bout des asperges, puis couper le reste de la tige en morceaux d'environ 1 po (2,5 cm).

Mettre le bouillon de poulet, les asperges, la pomme de terre, le poireau, l'oignon, le sel et le poivre dans une grande casserole. Porter à ébullition. Réduire à feu moyen et laisser cuire 8 minutes ou jusqu'à ce que les légumes soient tendres.

Égoutter les légumes et réserver le bouillon. Réduire les légumes en purée dans un robot culinaire.

Ajouter la purée de légumes et la crème au bouillon réservé.

Laisser mijoter 5 minutes à feu doux.

Servir.

Crème d'asperges

Bisque de tomates

Crème d'épinards

Dans une grande casserole, mettre les épinards, la pomme de terre, l'oignon, l'ail, le bouillon, l'eau, le sel et le poivre.

Couvrir et porter à ébullition.

Réduire à feu doux. Laisser cuire 15 minutes.

Réduire le tout en purée en petites quantités dans un robot culinaire.

Remettre la purée dans la casserole.

Ajouter le lait, la crème et le beurre.

Chauffer à feu moyen en remuant de temps en temps.

Saupoudrer de parmesan râpé et servir.

Ingrédients

5 oz d'épinards congelés

1 pomme de terre pelée et coupée en morceaux

1 oignon coupé en morceaux

2 gousses d'ail hachées

1 tasse de bouillon de poulet

1 1/4 tasse d'eau

1/2 c. à thé de gros sel

1/2 c. à thé de poivre noir moulu

1/2 tasse de lait

1/4 de tasse de crème 10 %

1 c. à thé de beurre non salé.

2 c. à soupe de parmesan râpé.

Bisque de tomates

Faire cuire les tomates dans une grande poêle à feu moyen.

Ajouter le bouillon de bœuf (préalablement dilué), le sucre, la feuille de laurier, le basilic et le poivre.

Porter à ébullition à feu moyen-vif.

Réduire le feu à doux. Laisser mijoter 30 minutes.

Dans une petite poêle, faire fondre le beurre.

Ajouter la farine au beurre. Fouetter le mélange 1 à 2 minutes.

Ajouter le lait une tasse à la fois en continuant de fouetter constamment jusqu'à ce que le mélange épaississe.

Ajouter ce mélange au premier en remuant.

Avant de servir, ajouter une touche de crème dans chaque bol

Servir.

Ingrédients

2 lb de tomates pelées et sans pépins

2 cubes de bouillon de bœuf

1 c. à soupe de sucre blanc

1 c. à thé de gros sel

1 feuille de laurier

1/4 de c. à thé de basilic séché

1/4 de c. à thé de poivre noir frais moulu

1/2 tasse de beurre

1/3 de tasse de farine

1 1/2 tasse de lait

crème 15 %

Ingrédients

3 c. à soupe de beurre

1 lb de carottes pelées et coupées en tranches fines

1 oignon haché

1 c. à soupe de gingembre frais râpé

2 c. à soupe de zeste d'orange râpé

1/4 de c. à thé de coriandre broyée

2 1/2 tasses de bouillon de poulet

1/2 tasse de crème à cuisson

Ingrédients

1 lb de tomates italiennes

2 c. à soupe d'huile d'olive + huile pour les croûtons

1 oignon tranché finement

2 gousses d'ail dégermées et écrasées

1 poivron rouge paré et tranché finement

2 c. à soupe de pâte de tomates

4 tasses de bouillon

Sel et poivre noir moulu

4 tranches de pain multigrains rassis écroûté

4 c. à soupe de basilic frais haché

Parmesan râpé

Bisque de carottes

Dans une grande poêle, faire fondre le beurre à feu moyen.

Ajouter les carottes et l'oignon et les faire sauter quelques minutes jusqu'à ce que les carottes ramollissent. Ajouter la coriandre, la pelure d'orange, le gingembre et 1 1/2 tasse du bouillon de poulet.

Réduire le feu au minimum. Laisser bouillir 30 minutes.

Retirer du feu.

Réduire les carottes en purée dans un robot culinaire, puis les mettre dans un grand bol.

Ajouter la purée de carottes au reste des ingrédients. Ajouter le reste du bouillon de poulet et la crème, puis mélanger le tout. Ajouter du sel et du poivre. Laisser mijoter jusqu'à ce que la bisque soit chaude en remuant fréquemment.

Servir.

Potage de tomates et basilic à la mijoteuse

À la base de chaque tomate, percer une petite croix. Plonger les tomates dans une casserole d'eau bouillante jusqu'à ce que leur peau commence à se soulever. Les égoutter et les peler.

Dans une grande poêle, faire chauffer l'huile. Faire sauter l'oignon, l'ail et le poivron. Incorporer les tomates, la pâte de tomates, le bouillon, le sel et le poivre. Déposer le tout dans la mijoteuse. Couvrir et faire cuire 6 heures à température élevée ou 8 heures à basse température. Laisser tiédir et réduire le tout en purée au robot culinaire.

Rincer le bol de la mijoteuse, puis verser le potage. Réchauffer le potage à basse température un minimum de 30 minutes.

Croûtons : couper les tranches de pain en cubes d'environ 1 po (2,5 cm).

Dans une poêle, faire chauffer de l'huile et y faire dorer les cubes de pain. Réserver sur des essuie-tout.

Incorporer le basilic au potage et le verser dans des bols réchauffés.

Parsemer chaque portion de croûtons et de parmesan râpé.

Potage de tomates et basilic à la mijoteuse

Potage aux asperges

Potage aux asperges

Cassez les parties dures des asperges et réservez-les. Retirez 1 1/2 po (4cm) des têtes d'asperge et coupez chaque tête en trois parties. Réservez-les séparément des parties dures.

Cuisson du bouillon :

dans une grande casserole, faites chauffer la moitié du beurre et faites-y revenir les parties dures des asperges, la moitié du céleri, l'oignon et la partie verte du poireau. Laissez cuire, à découvert, à feu moyen-élevé, en remuant de temps à autre, jusqu'à ce que les légumes soient très cuits, soit environ une demie heure. Ajoutez l'eau, le poivre, le persil, le thym et le sel. Portez à ébullition. Réduisez à feu moyen-bas, couvrez et laissez mijoter une demie heure.

Cuisson des têtes d'asperge :

Dans une grande casserole, portez l'eau salée à ébullition. Plongez-y les têtes d'asperge et faites-les cuire al dente quelques minutes. Égouttez-les dans une passoire, passez-les sous l'eau froide pour arrêter la cuisson et égouttez-les. Réservez-les.

Cuisson du potage :

Dans une autre grande casserole, faites fondre le reste du beurre. Ajoutez les blancs de poireau, le reste du céleri et du sel. Laissez cuire, en remuant, quelques minutes ou jusqu'à ramollissement du poireau. Ajoutez l'ail et faites-le cuire 1 minute. Ajoutez les tiges d'asperge et la pomme de terre. Versez le bouillon à travers un tamis. Portez le tout à ébullition. Réduisez à feu moyen-bas, couvrez et laissez cuire jusqu'à ce que les légumes soient très tendres, soit une vingtaine de minutes. Fermez le feu et laissez tiédir.

Finition du potage :

réduisez la préparation en purée au robot culinaire, mais gardez quelques morceaux de têtes d'asperge pour la décoration. Remettez le potage dans la casserole et incorporez la crème. Réchauffez le potage, à feu moyen-bas. Vérifiez l'assaisonnement et répartissez dans des bols à soupe. Garnissez chaque portion de quelques morceaux de têtes d'asperges.

Dégustez ce potage chaud ou froid.

Ingrédients

2 lb d'asperges

3c. à soupe de beurre

2 tiges de céleri, haché

1 gros oignon haché

1 gros poireau tranché mince
(blanc et vert réservés séparément)

6 tasses d'eau pour le bouillon

2 tasses d'eau salée,
pour les pointes d'asperges

6 grains de poivre noir

5 tiges de persil

3 tiges de thym

sel

3 gousses d'ail, dégermées et hachées

grosse pomme de terre, pelée et
coupée en cubes

1/4 de tasse de crème
à cuisson 35%

Ingrédients

1 oignon haché

1 lb de beurre

1 lb de filets de sole coupés en cubes

4 grosses pommes de terre coupées en cubes

1 boîte (14 oz) de maïs en crème

2 tasses d'eau

2 tasses de crème à cuisson 35 %

Sel et poivre noir moulu

Soupe au poisson, maïs et pommes de terre à la mijoteuse

Faire revenir l'oignon dans le beurre jusqu'à ce qu'il soit transparent.

Dans la mijoteuse, mélanger le poisson, l'oignon, les pommes de terre, le maïs, les assaisonnements et l'eau. Couvrir et laisser cuire à basse température pendant 6 heures. Durant la dernière heure de cuisson, incorporer la crème.

Remuer et servir.

Ingrédients

1/4 de tasse de cresson

1 lb de pommes de terre coupées en dés.

1 lb de poireaux coupés en rondelles

1/2 tasse de crème fraîche

4 tasses d'eau

1/2 c. à thé de sel

Potage de cresson

Dans un chaudron rempli d'eau salée, faire cuire les pommes de terre et les poireaux à feu doux 40 minutes.

Ajouter le cresson et laisser mijoter 5 minutes.

Retirer du feu et égoutter les légumes, puis les piler jusqu'à obtenir une texture lisse.

Ajouter la crème fraîche, du sel et du poivre, et servir.

Potage de cresson

Ingrédients

1 lb de haricots blancs secs

2/3 de tasse d'huile d'olive

4 branches de céleri hachées

2 gros oignons rouges hachés

 carotte pelée et tranchée

6 tasses d'eau froide

Tranches de fromage feta

Ingrédients

1 lb d'épaule d'agneau désossée et coupée en petits cubes

2/3 de tasse de pois chiches secs

1 c. à thé de bicarbonate de soude

1/2 c. à thé de paprika

1/2 c. à thé de curcuma

1 carotte

1 branche de céleri

1 grosse pomme de terre

1 oignon

1 grosse (28 oz) boîte de tomates

1 litre de bouillon de poulet

3 c. à soupe de coriandre fraîche

2 c. à soupe de persil plat

Huile d'olive

Sel et poivre

Soupe aux haricots blancs et aux légumes

La veille du repas, recouvrir les haricots d'eau et les laisser tremper une nuit. Le jour du repas, égoutter les haricots et les rincer à l'eau froide. Les égoutter encore.

Dans une casserole épaisse, faire chauffer la moitié de l'huile à feu moyen. Ajouter le céleri, les oignons et la carotte. Remuer et laisser cuire jusqu'à ce que les légumes soient tendres, soit une dizaine de minutes.

Ajouter les haricots et remuer. Verser l'eau. Porter à ébullition à feu moyen-élevé. Retirer l'écume qui pourrait se former à la surface. Réduire à feu moyen-bas et laisser mijoter, en remuant de temps à autre jusqu'à ce que les haricots soient très tendres et la soupe épaisse et crémeuse, soit environ 2 heures. Assaisonner.

Retirer la casserole du feu et incorporer le reste de l'huile. Répartir dans des assiettes creuses et garnir chaque portion d'une tranche de feta.

Soupe d'agneau et pois chiches

Mettre les pois chiches à tremper toute une nuit dans un grand bol d'eau froide additionnée du bicarbonate de soude.

Rincer les pois chiches. Les faire bouillir 20 minutes afin de pouvoir les peler plus facilement. Pour ce faire, les faire rouler entre le pouce et l'index.

Laver, peler et couper en dés la carotte, la pomme de terre et le céleri. Peler et émincer l'oignon. Laver et hacher la coriandre. (Ne pas oublier de garder quelques feuilles pour garnir.) Dégraisser l'agneau.

Dans un grand fait-tout, faire chauffer le curcuma et le paprika quelques secondes pour en faire ressortir tout l'arôme. Ajouter l'huile d'olive. Quand elle est chaude, faire revenir l'agneau. Retirer les morceaux de viande et réserver. Faire revenir les légumes. Une fois que les oignons sont dorés poser les morceaux de viande par-dessus. Ajouter les tomates et le bouillon de poulet. Ajouter les pois chiches, la coriandre et le persil. Saler et poivrer. Porter à ébullition, puis laisser mijoter à feu doux pendant environ 40 minutes.

Parsemer de coriandre et servir très chaud.

Soupe d'agneau et pois chiches

Soupe à l'oignon

Soupe de veau et navets

Faire tremper les pois chiches dans un bol d'eau additionnée de bicarbonate de soude pendant toute une nuit.

Rincer et égoutter les pois chiches, puis les peler en les faisant rouler entre le pouce et l'index.

Peler et hacher l'oignon. Couper l'agneau en petits cubes. Dans un bol, mélanger l'eau avec le concentré de tomates et le paprika.

Dans une grande casserole à fond épais, faire chauffer l'huile d'olive. Lorsque celle-ci est chaude, y faire suer les oignons.

Ajouter la viande et la faire revenir à feu vif.

Ajouter le liquide et les pois chiches. Saler et poivrer. Porter à ébullition et laisser mijoter à feu doux pendant 45 minutes.

Peler et laver les navets, puis les couper chacun en 8 quartiers. Les ajouter à la soupe et laisser cuire encore 30 minutes.

Laver et hacher le persil et la coriandre. Les ajouter à la soupe en plus du jus de citron. Vérifier l'assaisonnement.

Servir chaud.

Ingrédients

1/3 de tasse de pois chiches secs

1 c. à soupe de bicarbonate de soude

1 oignon

1 lb d'épaule de veau désossée coupée en petits cubes

1 litre d'eau

1 c. à soupe de concentré de tomates

1 c. à thé de paprika

2 navets

3 branches de persil plat

3 feuilles de coriandre

Jus de 1/2 citron

Huile d'olive

Sel et poivre

Soupe à l'oignon

Couper les oignons en rondelles.

Faire fondre le beurre dans une casserole.

Y mettre les oignons et faire cuire à feu modéré pendant environ 15 minutes ou jusqu'à ce que les oignons soient légèrement brunis.

Ajouter la farine aux oignons et mélanger délicatement.

Ajouter le bouillon de bœuf. Porter à ébullition. Réduire à feu doux, couvrir et laisser mijoter 20 à 30 minutes.

Servir la soupe dans des bols en y ajoutant les croûtons et le fromage râpé.

Ingrédients

4 oignons coupés en rondelles

4 tasses de bouillon de bœuf

1/4 de tasse de beurre

2 c. à soupe de farine

1/2 c. à thé de sel

1 tasse de cheddar fort

Des croûtons

Ingrédients

1 paquet de 12 oz de rotinis
(ou d'autres pâtes au choix)

13 tasses de bouillon de poulet

4 tasses d'eau

5 branches de céleri coupées en morceaux

1 poireau coupé en rondelles

1 oignon coupé en morceaux

4 carottes coupées en morceaux

1 1/2 lb de poitrine de poulet désossée coupée en morceaux.

1/2 c. à thé de sel d'ail

1 c. à thé de poudre d'oignon

Sel et poivre au goût.

Ingrédients

1 petit oignon coupé en morceaux

2 c. à soupe de beurre

2 tasses d'eau

2 cubes de bouillon de poulet

2 tasses de morceaux de dinde cuite

1/2 tasse de céleri coupé en morceaux

1 1/2 tasse de pommes de terre coupées en morceaux

1 tasse de carottes coupées en morceaux

2 1/2 tasses de lait

2 c. à soupe de farine

1 c. à thé de sel

1/2 c. à thé de poivre

Soupe au poulet et nouilles

Faire cuire les pâtes selon les instructions du paquet.

Les égoutter et les mettre de côté.

Mettre le bouillon de poulet et l'eau dans un chaudron.

Faire cuire à feu élevé.

Ajouter le céleri, l'oignon, les carottes et les morceaux de poulet.

Faire bouillir à feu moyen-élevé.

Ajouter les pâtes au mélange.

Réduire à feu doux.

Assaisonner avec le sel d'ail, la poudre d'oignon, le sel et le poivre.

Laisser chauffer 20 minutes.

Servir.

Soupe à la dinde et légumes

Faire sauter l'oignon dans le beurre jusqu'à ce qu'il devienne transparent.

Ajouter l'eau, les cubes de bouillon de poulet, la dinde et les légumes.

Couvrir et cuire à feu doux jusqu'à ce que les légumes deviennent tendres.

Ajouter un peu de lait à la farine et mélanger jusqu'à obtenir un mélange lisse. Ajouter le restant du lait, le sel et le poivre.

Ajouter le mélange à la soupe en brassant constamment.

Laisser mijoter en brassant occasionnellement jusqu'à ce que la soupe épaississe. Retirer du feu et servir

Soupe à la dinde et légumes

Soupe aux nouilles et crevettes à l'orientale

Soupe minestrone

Dans une casserole, chauffer l'huile d'olive et faire sauter l'oignon, l'ail, le céleri, les carottes, la pomme de terre et la courgette durant environ 3 minutes ou jusqu'à ce que l'oignon commence à ramollir.
Ajouter le bouillon de poulet, la tomate, la pâte de tomates et les haricots. Porter à ébullition.
Ajouter les pâtes, le basilic, le persil, le sel et le poivre.
Laisser mijoter à couvert durant environ 15 minutes.
Saupoudrer de parmesan râpé et servir.

Ingrédients

2 c. à thé d'huile d'olive

1 oignon coupé en morceaux

2 gousses d'ail hachées

1 tomate coupée en morceaux

1 c. à soupe de pâte de tomates

1 boîte (19 oz) de haricots rouges rincés et égouttés

4 tasses de bouillon de poulet

1/2 tasse de pâtes au choix

1 carotte coupée en morceaux

1 branche de céleri coupée en morceaux

courgette coupée en morceaux

1 pomme de terre coupée en morceaux

1 1/2 c. à thé de basilic séché

1/2 c. à thé de romarin séché

1/4 de tasse de persil frais haché

Sel et poivre

Parmesan râpé.

Soupe aux nouilles et crevettes à l'orientale

Faire bouillir l'eau dans une grande casserole.
Ajouter les nouilles et les laisser cuire 3 minutes.
Ajouter les crevettes, les oignons verts, les fèves germées, la carotte, la sauce soya et l'assaisonnement des nouilles ramen.
Laisser chauffer 3 minutes.
Servir.

Ingrédients

3 1/2 tasses d'eau

1 paquet de nouilles ramen à l'orientale

1 tasse de crevettes congelées précuites

1/2 tasse d'oignons verts

1/2 tasse de fèves germées.

1 carotte coupée en fines lanières.

2 c. à soupe de sauce soya

Soupe aux légumes verts

Soupe au brocoli et fromage suisse

Dans une casserole, mettre l'eau et le jambon. Porter à ébullition.

Laisser bouillir le jambon 10 minutes.

Ajouter les morceaux de brocoli.

Laisser bouillir jusqu'à ce qu'ils ramollissent.

Dans un bol, mettre la farine et y ajouter peu à peu le lait en brassant constamment. Réduire à feu doux.

Ajouter le mélange de lait et de farine à la soupe en brassant constamment pendant que la soupe épaissit.

Laisser chauffer 5 minutes en brassant de temps en temps.

Ajouter le fromage suisse. Continuer de brasser jusqu'à ce que le fromage soit fondu.

Ajouter le sel et le poivre. Servir.

Ingrédients

1 tasse de jambon coupé en morceaux

1 tasse d'eau

1 paquet de 10 oz de brocoli congelé en morceaux

2 tasses de fromage suisse coupé en morceaux

2 tasses de lait

3 c. à soupe de farine

1/2 c. à thé de gros sel

1/2 c. à thé de poivre noir moulu

Soupe aux légumes verts

Dans une grande casserole, faire chauffer l'huile d'olive.

Faire sauter l'oignon et le poireau environ 5 minutes ou jusqu'à ce qu'ils ramollissent. Brasser de temps en temps.

Ajouter le céleri et l'ail. Faire sauter encore 5 minutes.

Ajouter l'eau, la pomme de terre, le panais, le navet et les haricots verts. Porter à ébullition.

Réduire à feu bas. Couvrir et laisser chauffer 5 minutes.

Ajouter les petits pois et les courgettes.

8- Couvrir et laisser chauffer 25 minutes.

Ajouter 1 c. à soupe de pesto.

Garnir les bols avec le reste du pesto et servir.

Ingrédients

1 c. à soupe d'huile d'olive extra vierge

1 oignon coupé en petits morceaux

1 poireau coupé en rondelles

1 gousse d'ail hachée

6 tasses d'eau

1 pomme de terre coupée en morceaux

1 panais coupé en morceaux

1 petit navet coupé en morceaux

1 tasse de haricots verts

1 tasse de petits pois

2 petites courgettes coupées en morceaux

1/2 tasse d'épinards

1/2 c. à thé de gros sel

1/2 c. à thé de poivre noir moulu

2 c. à soupe de pesto

Ingrédients

1/4 de tasse d'oignons verts

1 gousse d'ail hachée

1/2 oignon haché

1/4 de tasse de tomates en dés

1/4 de tasse de maïs en conserve

1/4 de tasse de haricots verts coupés en morceaux

1 c. à soupe de beurre

1 1/2 tasse de jus de légumes

1 tasse d'eau

1/4 de tasse de riz à grains longs (pas cuit)

1/2 c. à thé de gros sel

1/4 de c. à thé de thym séché

1 feuille de laurier

3/4 de tasse de crevettes en conserve

Soupe à la créole

Dans une casserole, faire chauffer le beurre. Ajouter l'oignon, les oignns verts, les haricots verts et l'ail et les faire sauter environ 2 minutes ou jusqu'à ce que l'oignon ramollisse.

Ajouter le jus de légumes, l'eau, le riz, les morceaux de tomate, le maïs, le sel, le thym et la feuille de laurier.

Porter à ébullition.

Réduire à feu doux. Laisser chauffer 25 minutes.

Ajouter les crevettes. Faire bouillir environ 7 minutes ou jusqu'à ce qu'elles soient cuites. Retirer la feuille de laurier.

Servir.

Ingrédients

1 lb de saucisses italiennes coupées en morceaux

1 gousse d'ail hachée

2 tasses de bouillon de bœuf

1 boîte (1914,5 oz) de tomates en dés aux fines herbes

1 carotte coupée en morceaux

1 boîte (19 oz) de fèves rouges

2 petites courgettes coupées en morceaux

2 tasses d'épinards frais

1/2 c. à thé de gros sel

1/2 c. à thé de poivre noir moulu

Soupe aux légumes et saucisses italiennes

Dans une casserole, faire cuire les saucisses et l'ail jusqu'à ce que les saucisses soient dorées.

Ajouter le bouillon de bœuf, les tomates, la carotte, le sel et le poivre.

Réduire à feu doux et couvrir. Laisser mijoter 15 minutes.

Ajouter les fèves (avec le jus) et les courgettes. Laisser mijoter 15 minutes ou jusqu'à ce que les courgettes soient tendres.

Retirer du feu et ajouter les épinards. Remettre le couvercle et laisser reposer 5 minutes.

Servir.

Soupe aux légumes et saucisses italiennes

Soupe au brocoli

Soupe aux fèves noires

Dans une casserole, faire chauffer l'huile d'olive.

Ajouter l'oignon et l'ail et les faire revenir jusqu'à ce qu'ils ramollissent.

Ajouter le cumin et laisser mijoter 1 minute.

Ajouter le céleri, la carotte, le bouillon de poulet, le maïs et les fèves.

Réduire à feu doux, couvrir et laisser mijoter 15 minutes.

Ajouter le jus de lime et la pâte de tomates.

Servir.

Ingrédients

3 c. à soupe d'huile d'olive

1 petit oignon haché

1 branche de céleri coupée en morceaux

1 carotte coupée en morceaux

2 gousses d'ail hachées

1 c. à soupe de cumin

4 tasses de bouillon de poulet

3 boîtes (19 oz chacune) de fèves noires rincées et égouttées

1/2 tasse de maïs en grains

Jus de 1 lime

1 c. à soupe de pâte de tomates

1/2 c. à thé de sel

1/2 c. à thé de poivre.

Soupe au brocoli

Dans une casserole, faire bouillir l'oignon et les carottes. Lorsque les carottes sont tendres, ajouter le brocoli et le chou-fleur.

Laisser mijoter jusqu'à ce qu'ils soient tendres.

Égoutter, puis ajouter le bouillon de poulet, la crème de céleri, la crème sure, l'aneth, le sel et le poivre. Laisser mijoter 30 minutes.

Servir.

Ingrédients

6 tasses de bouillon de poulet

1 oignon coupé en morceaux

6 carottes coupées en languettes

1 paquet de brocoli et de chou-fleur congelés

1 c. à thé d'aneth frais

1 boîte de crème de céleri

1 tasse de crème sure

1 c. à thé de sel

1/2 c. à thé de poivre

Ingrédients

1 c. à soupe d'huile d'olive

1 petit oignon coupé en morceaux

1 céleri coupé en morceaux

1/2 poivron coupé en morceaux

1 gousse d'ail hachée

1 tasse de jambon coupé en morceaux

4 tasses de bouillon de poulet

1 feuille de laurier

1/2 c. à soupe de basilic séché

1/4 de tasse de crème

1/2 tasse de fromage cheddar râpé

Soupe au jambon et fromage

Chauffer l'huile d'olive dans une casserole.

Ajouter l'oignon, le céleri, le poivron et l'ail. Faire revenir jusqu'à ce qu'ils soient tendres.

Ajouter le jambon et le faire revenir jusqu'à ce que le gras ait fondu.

Ajouter le bouillon de poulet, la feuille de laurier et le basilic.

Réduire à feu doux et laisser mijoter 30 minutes.

Ajouter la crème et faire bouillir à feu moyen-vif.

Réduire à feu moyen-doux et ajouter tranquillement le fromage en brassant constamment.

Servir.

Ingrédients

2 c. à soupe de beurre

3 oignons verts coupés en morceaux

1 boîte (28 oz) de tomates en dés

3/4 de tasse de bouillon de poulet

3 c. à soupe de pâte de tomates

2 c. à soupe d'aneth frais

Soupe aux tomates et aneth

Dans une casserole, faire chauffer le beurre.

Y faire revenir les oignons verts jusqu'à ce qu'ils soient tendres, soit environ 3 minutes.

Ajouter les tomates en dés (avec le jus), la pâte de tomates et le bouillon de poulet.

Porter à ébullition à feu moyen-élevé.

Réduire à feu doux. Laisser mijoter 5 minutes.

Ajouter l'aneth.

Servir.

Soupe aux tomates et aneth

Soupe épicée de Catherine

Dans une casserole, vider la boîte de tomates et chauffer à feu doux
5 minutes.

Ajouter le yogourt, le lait de coco, le cari et le curcuma. Brasser pour obtenir
une texture onctueuse. Laisser mijoter 5 minutes.

Ajouter les cubes de tofu. Laisser mijoter 5 minutes.

Ajouter les épinards et les noix de cajou. Laisser mijoter 2 minutes
en brassant constamment.

Servir.

Ingrédients

1 boîte (5.5 oz) de tomates

200 oz de tofu ferme coupé en cubes

1 tasse de yogourt nature

1/2 tasse de lait de coco

1 tasse d'épinards (ou de roquette)

1/2 tasse de noix de cajou rôties non salées

1 c. à thé de cari

1 c. à thé de curcuma

Soupe aux poireaux, champignons et fèves

Dans une grande casserole, mettre tous les ingrédients et porter à ébullition.

Réduire à feu moyen-doux et laisser mijoter 1 heure.

Servir.

Ingrédients

2 poireaux coupés en rondelles

4 tasses de bouillon de poulet

2 tasses de bouillon de légumes

2 branches de céleri coupées en morceaux

1 lb de champignons de Paris

1 boîte (19 oz) de fèves blanches

1/2 c. à thé de sel

1/2 c. à thé de poivre

1/2 c. à thé de sauge

1/2 c. à thé de romarin

1/4 de tasse d'huile d'olive

Soupe aux poireaux, champignons et fèves

La soupe aux lentilles et aux épinards de Danielle

Soupe miso

Dans une casserole, faire bouillir l'eau.

Ajouter le miso et remuer doucement pour le dissoudre complètement.

Parfumer de coriandre et ajouter la garniture de votre choix.

Servir.

Ingrédients

2 c. à thé de miso

1 tasse d'eau

1 c. à soupe d'échalote hachée

Coriandre fraîche

Garnitures au choix :

avocats coupés en dés

asperges coupées en morceaux

carottes émincées

fèves germées

champignons émincés

tofu soyeux en dés

vermicelles cuits

La soupe aux lentilles et aux épinards de Danielle

Dans une casserole, faire chauffer l'huile d'olive.

Ajouter l'ail et les oignons et les faire revenir jusqu'à ce que les oignons soient tendres.

Ajouter l'eau, les lentilles et le sel. Porter à ébullition.

Réduire à feu moyen-doux et laisser mijoter 1 heure.

Ajouter le zeste de citron, le jus de citron et les épinards.

Couvrir et laisser mijoter jusqu'à ce que les épinards soient tendres.

Décorer avec un peu de persil et servir.

Ingrédients

2 oignons

1 gousse d'ail hachée

2 c. à soupe d'huile d'olive

3 tasses d'eau

1 c. à soupe de sel

1 tasse de lentilles séchées

1 c. à thé de zeste de citron

2 c. à thé de jus de citron

1 1/2 tasse d'épinards

Quelques branches de persil

Soupe aux pommes de terre et fromage

Soupe méditerranéenne

Dans une casserole, faire chauffer l'huile d'olive à feu moyen-vif.
Ajouter l'oignon et le faire revenir jusqu'à ce qu'il soit tendre,
soit environ 3 minutes.
Ajouter l'eau, le bouillon de poulet, les tomates (ainsi que le jus),
les pois chiches, le cumin, la cannelle et le poivre. Porter à ébullition.
Couvrir et réduire à feu moyen-doux. Laisser mijoter 5 minutes
en brassant de temps à autre.
Ajouter les pâtes et laisser mijoter jusqu'à ce qu'elles soient tendres.
Ajouter le persil.
Servir.

Ingrédients

2 c. à thé d'huile d'olive

2 oignons coupés en dés

1 1/2 tasse d'eau

2 tasses de bouillon de poulet

1/2 c. à thé de cumin moulu.

1/4 de c. à thé de cannelle moulue

1/4 de c. à thé de poivre noir moulu

1 boîte (19 oz) de pois chiches

1 boîte (19 oz) de tomates en dés

1/2 tasse de macaronis ou fusilli
(non cuits)

2 c. à soupe de persil frais haché

Soupe aux pommes de terre et fromage

Dans une casserole, mettre le bouillon de poulet, l'eau, les pommes
de terre, les lanières de chilis, l'ail, le cumin, le sel et le poivre.
Chauffer à feu moyen-vif jusqu'à ce que les pommes de terre
soient cuites. Ajouter le fromage. Laisser mijoter jusqu'à ce qu'il ait fondu
en brassant constamment. Servir.

Ingrédients

2 tasses de bouillon de poulet

1 1/2 tasse d'eau

5 pommes de terre coupées en dés

1 boîte de chilis verts
coupés en lanières

3/4 de tasse de cheddar fort
coupé en dés

1 gousse d'ail hachée

1/2 c. à thé de cumin

1 c. à thé de sel

1 c. à thé de poivre noir moulu

Soupe au riz sauvage

Dans une casserole, faire fondre le beurre.

Ajouter les oignons, le céleri et les carottes et faire revenir jusqu'à ce que les oignons soient tendres.

Ajouter la farine et mélanger jusqu'à ce que la farine se soit complètement dissoute et commence à cuire.

Ajouter la moitié du bouillon de poulet.

Brasser jusqu'à ce que la soupe épaississe.

Ajouter tranquillement le reste du bouillon de poulet. Brasser.

Ajouter le riz sauvage et laisser mijoter 45 minutes.

Ajouter le sel et le poivre.

Incorporer la crème tranquillement en brassant constamment.

Laisser mijoter jusqu'à ce que la soupe ait atteint la bonne température en continuant de brasser

Servir.

Ingrédients

1/2 lb de beurre

1 oignon coupé finement

2 branches de céleri coupées finement

3 carottes coupées finement

2 tasses de farine

2 tasses de crème 10%

2 tasses de bouillon de poulet

3\4 tasse de riz sauvage cuit

1 c. à thé de sel

1 c. à thé de poivre

Ingrédients

1/2 lb de bœuf haché

1/2 lb de porc haché

1 oignon haché

2 gousses d'ail hachées

1 boîte (28 oz) de tomates italiennes

1 boîte de pâte de tomates

1 3/4 tasse de bouillon de bœuf

1 c. à soupe de sucre

1 c. à soupe d'assaisonnement italien

1/2 tasse de fromage parmesan râpé

1 paquet de raviolis congelés

Soupe aux raviolis

Dans une casserole, faire revenir le bœuf et le porc avec l'ail et l'oignon jusqu'à ce qu'ils soient dorés.

Ajouter les tomates italiennes, la pâte de tomates, le bouillon de bœuf, le sucre, et l'assaisonnement italien. Porter à ébullition.

Réduire à feu doux et laisser mijoter 30 minutes.

Dans une autre casserole, faire cuire les raviolis selon les instructions du paquet. Égoutter les raviolis et les ajouter à la soupe.

Saupoudrer chaque bol de parmesan râpé.

Servir.

Soupe aux raviolis

Chaudrée de saumon et pommes de terre

Soupe au poulet et lime

Dans une casserole, faire chauffer l'huile d'olive à feu moyen-vif.
Ajouter l'ail et les oignons et faire revenir
jusqu'à ce que les oignons soient ramollis, soit environ 5 minutes.
Ajouter le bouillon de poulet, le jus de lime, le cumin, l'origan et le poulet.
Porter à ébullition. Réduire à feu moyen-doux et laisser mijoter 10 minutes.
Ajouter le sel et le poivre.
Dans des bols, placer des morceaux d'avocats
et des chips tortillas. Verser la soupe par dessus.
Servir.

Ingrédients

2 c. à thé d'huile d'olive

1/2 tasse d'oignons hachés

1 gousse d'ail hachée

4 tasses de bouillon de poulet

1/2 tasse de poitrine de poulet
désossée coupée en fines lanières.

3 c. à soupe de jus de lime

1/2 c. à thé de cumin

1/2 c. à thé d'origan

1/2 c. à thé de sel

1/2 c. à thé de poivre

1 avocat pelé et coupé en dés

1/4 de tasse de coriandre fraîche

1 tasse de chips tortillas

Chaudrée de saumon et pommes de terre

Dans une casserole, faire chauffer l'huile d'olive à feu moyen-vif.
Ajouter le céleri et l'oignon et faire revenir jusqu'à ce qu'ils soient tendres.
Ajouter le lait, la crème de céleri, l'aneth, le poivre et le sel.
Ajouter les morceaux de pomme de terre et porter à ébullition.
Couvrir et laisser mijoter 20 minutes à feu moyen-doux.
Ajouter le saumon.
Laisser mijoter 5 minutes ou jusqu'à ce que le saumon
se défasse facilement.
Servir.

Ingrédients

1 c. à soupe d'huile d'olive

1/2 tasse de céleri coupé finement.

1 oignon haché

4 tasses de lait

1 boîte (19 oz) de crème de céleri

1 c. à soupe d'aneth frais

1/2 c. à thé de poivre noir moulu

1/2 c. à thé de sel

1 grosse pomme de terre pelée et
coupée en dés

1 tasse de saumon coupé en
morceaux sans peau et sans arêtes

Soupe de lentilles rouges

Soupe de chou et de tofu

Dans une casserole, mettre le bouillon de poulet,
le radis et le gingembre. Porter à ébullition à feu moyen-vif.
Ajouter le sel.
Réduire à feu moyen-doux et laisser mijoter 25 minutes
ou jusqu'à ce que le radis soit tendre.
Ajouter le chou et porter à ébullition 5 minutes à feu moyen-vif.
Réduire à feu moyen et ajouter le tofu. Laisser mijoter quelques minutes.
Servir.

Ingrédients

7 tasses de bouillon de poulet

3/4 de lb de radis du Japon pelés et
coupés en dés

4 tranches minces
de gingembre frais

1/2 lb de chou chinois coupé en
morceaux sans le cœur

1/2 lb de tofu mou coupé en tranches

1/2 c. à soupe de gros sel

Soupe de lentilles rouges

Dans une casserole, faire chauffer l'huile d'olive à feu moyen-vif.
Ajouter l'ail et l'oignon et faire revenir jusqu'à ce que l'oignon ait atteint
une couleur dorée, soit environ 5 minutes.
Ajouter la pâte de tomates, le cumin, le sel, le poivre et la poudre de
chili. Laisser mijoter 3 minutes en brassant de temps à autre.
Ajouter le bouillon de poulet, les lentilles et les morceaux de carotte.
Porter à ébullition.
Réduire à feu moyen-doux, couvrir et laisser mijoter 30 minutes.
Réduire le mélange en purée en petites quantités
dans un robot culinaire. Remettre le mélange dans la casserole
et ajouter le jus de citron et la coriandre. Laisser mijoter quelques minutes
jusqu'à ce que la soupe soit chaude.
Servir.

Ingrédients

3 c. à soupe d'huile d'olive

1 oignon haché

2 gousses d'ail hachées

1 carotte coupée en dés

1 c. à soupe de pâte de tomates

1 c. à thé de cumin broyé

1/2 c. à thé de sel

1/2 c. à thé de poivre

1/4 de c. à thé de poudre de chili

4 tasses de bouillon de poulet

1 tasse de lentilles rouges

3 c. à soupe de jus de citron

2 c. à soupe de coriandre fraîche

Ingrédients

1 petit chou râpé sans le cœur

4 c. à soupe de beurre

6 tasses de bouillon de poulet

1/2 lb de chorizo

1 lb de radis japonais pelés
et coupés en dés

1 tasse de crème sure

1/2 c. à soupe de sel

1/2 c. à soupe de poivre

Ingrédients

4 tasses de bouillon de bœuf

7 oz de nouilles de riz

1/2 c. à thé de gingembre râpé

1 c. à thé de sel d'ail

1 c. à thé de persil frais

1 c. à thé de coriandre fraîche
hachée

4 oz de lamelles de bœuf pour
fondue

6 quartiers de citron

3 c. à soupe de sauce soya

Soupe au chou et au chorizo

Dans une casserole remplie d'eau, mettre le chou et laisser bouillir
1 minute à feu vif.

Égoutter.

Remettre le chou dans la casserole et ajouter le beurre, le bouillon
de poulet et le chorizo. Porter à ébullition à feu moyen-vif.

Réduire à feu doux, couvrir et laisser mijoter 1 heure.

Ajouter le radis, couvrir et laisser mijoter 30 minutes.

Retirer le chorizo et le couper en morceaux.

Remettre les morceaux de chorizo dans la soupe.

Mettre une touche de crème sure sur chaque bol et servir.

Soupe tonkinoise

Dans une casserole, mettre le bouillon de bœuf, le gingembre, le persil
et le sel d'ail. Porter à ébullition à feu moyen-vif.

Dans un bol, faire tremper les nouilles dans l'eau tiède quelques minutes,
les égoutter et les faire bouillir 5 minutes. Égoutter.

Répartir les nouilles dans des bols prêts à servir.

Ajouter les lamelles de bœuf.

Verser le bouillon dans les bols, ajouter une cuillère de sauce soya
et saupoudrer de coriandre hachée.

Ajouter du jus de citron au goût.

Servir.

Soupe tonkinoise

Soupe aux tomates et haricots verts

Soupe
aux tomates et orge

Dans une casserole, mettre le bouillon de poulet,
la soupe de tomates, les carottes, le céleri, les petits pois
et l'orge et porter à ébullition à feu moyen-vif.
Réduire à feu moyen-doux et laisser mijoter 30 minutes
ou jusqu'à ce que les légumes soient tendres.
Ajouter quelques petits bouquets de persil sur chaque bol et servir.

Ingrédients

7 1/2 tasses de bouillon de poulet

1 1/2 tasse de bouillon de légumes

2 boîtes (19 oz) de soupe
aux tomates condensée

3 carottes coupées en morceaux

3 branches de céleri
coupées en morceaux

1 tasse de petits pois

1 1/2 tasse d'orge

1/2 tasse de persil frais

Soupe aux tomates
et haricots verts

Dans une casserole, faire fondre le beurre.
Ajouter les oignons et les carottes et les faire revenir
5 minutes à feu moyen-vif.
Ajouter le bouillon de poulet, les haricots et l'ail.
Réduire à feu moyen-doux, couvrir et laisser mijoter 20 minutes.
Ajouter les tomates, le basilic, le sel et le poivre.
Couvrir et laisser mijoter 5 minutes ou jusqu'à ce que
la soupe soit bien chaude.
Servir.

Ingrédients

2 oignons hachés

3 carottes coupées en morceaux

2 c. à thé de beurre

6 tasses de bouillon de poulet

1 lb de haricots verts coupés
en morceaux

1 gousse d'ail hachée

6 tomates coupées en dés

1/4 de tasse de basilic frais haché

1/2 c. à thé de sel

1/2 c. à thé de poivre

Gaspacho

Soupe de poisson et lait de coco

Dans une casserole, faire chauffer l'huile d'olive.
Ajouter l'oignon vert et les morceaux de poireau
et les faire revenir 5 minutes à feu moyen-vif.
Ajouter le bouillon de poisson et les tomates et laisser mijoter 10 min.
Ajouter le lait de coco, le paprika et le gingembre
et laisser mijoter 5 minutes.
Ajouter les filets de sole et laisser mijoter 10 minutes.
Ajouter du jus de citron dans chaque bol
et décorer avec les feuilles de coriandre.
Servir.

Ingrédients

1 c. à soupe d'huile d'olive

4 filets de sole

1 oignon vert émincé

1 poireau tranché

1 gousse d'ail hachée

1/2 boîte (19 oz) de tomates en dés

1 boîte (19 oz) de lait de coco

1 tasse de bouillon de poisson

1 c. à thé de paprika doux

2 c. à thé de gingembre frais râpé

1/2 tasse de jus de citron

Quelques feuilles de coriandre

Gaspacho

Réduire les tomates en purée dans un robot culinaire,
puis les mettre de côté dans un bol.
Réduire en purée les concombres, les poivrons, l'oignon,
l'ail et l'huile d'olive dans un robot culinaire.
Mélanger la nouvelle purée à la purée de tomates,
ajouter le sel et le poivre.
Laisser reposer 2 heures
Servir froid

Ingrédients

6 tomates pelées et coupées en dés

2 concombres pelés
et coupés en morceaux

2 poivrons rouges
coupés en morceaux

1 oignon coupé en morceaux

2 gousses d'ail coupées
en petits morceaux

2 c. à soupe d'huile
d'olive extra vierge

1/2 c. à thé de sel

1/2 c. à thé de poivre noir en grains

Soupe aux concombres et yogourt

Ingrédients

2 concombres

1 1/2 tasse de yogourt nature

1/2 c. à thé de sel

15 feuilles de menthe lavées

Couper les concombres en morceaux.

Réduire en purée les concombres, le yogourt, le sel et la menthe dans un robot culinaire.

Laisser refroidir au réfrigérateur.

Servir froid.

Crème d'avocats

Ingrédients

2 gros avocats pelés et coupés en morceaux.

3/4 de tasse de crème 10 %

2 tasses de bouillon de poulet

1/2 c. à thé de sauce piquante

Sel et poivre noir en grains

Quelques branches de persil

Réduire en purée les morceaux d'avocats dans robot culinaire.

Ajouter la crème. Mélanger.

Mettre le mélange d'avocats dans un bol, y ajouter le bouillon de poulet et bien mélanger.

Passer le mélange au tamis fin.

Ajouter la sauce piquante, le sel et le poivre.

Laisser refroidir au moins 2 heures avant de servir.

Décorer avec un peu de persil et servir.

Crème d'avocats

Soupe au citron

Soupe froide à la mangue

Réduire en purée les mangues, le jus de citron, le zeste
et la crème dans un robot culinaire.
Laisser refroidir au réfrigérateur.
Servir

Ingrédients

2 mangues pelées
et coupées en dés
1/4 de tasse de sucre blanc
Zeste de 1 citron
Jus de 1 citron
1 1/2 tasse de crème 10 %

Soupe au citron

Dans une casserole, faire chauffer le bouillon de légumes, le cidre sec,
le riz, le sel, le poivre et le zeste de citron 40 minutes à feu doux.
Retirer la casserole du feu et réduire le mélange en purée en petites
quantités dans un robot culinaire.
Remettre le mélange dans la casserole.
Ajouter le jus de citron et laisser mijoter quelques minutes à feu doux.
Retirer du feu et laisser refroidir au réfrigérateur.
Garnir avec la ciboulette et les tranches de citron.
Servir.

Ingrédients

3 tasses de bouillon de légumes
1 tasse de cidre sec
1/4 de tasse de riz brun
Jus de 2 citrons
Zeste de 2 citrons
4 tranches de citron
2 c. à soupe de ciboulette fraîche
hachée
1/2 c. à thé de sel
1 c. à thé de poivre

Soupe aux framboises

Réduire en purée les framboises, l'eau et le vin blanc dans un robot culinaire.

Mettre le mélange dans une casserole.

Ajouter le jus de canneberge, le sucre, la cannelle moulue et les clous de girofle.

Porter à ébullition.

Passer le mélange au tamis. Laisser refroidir.

Ajouter le jus de citron et le yogourt, couvrir et laisser refroidir au réfrigérateur.

Servir.

Ingrédients

2 1/2 tasses de framboises fraîches.

1 1/4 tasse d'eau

1/4 de tasse de vin blanc

1 tasse de jus de canneberge

3/4 de tasse de sucre blanc

1 1/2 c. à thé de cannelle moulue

3 clous de girofle

1 c. à soupe de jus de citron

1 tasse de yogourt aux framboises

Soupe aux fraises

Réduire en purée les fraises, le babeurre et la cassonade dans un robot culinaire.

Laisser refroidir au réfrigérateur.

Servir.

Ingrédients

2 tasses de fraises

1 tasse de babeurre

1 c. à thé de cassonade

Soupe aux fraises

Soupe aux pommes et cannelle

Dans une casserole, mettre les pommes, le vin, le jus de pomme, le sucre et le bâton de cannelle et porter à ébullition à feu vif.

Réduire à feu doux et laisser mijoter jusqu'à ce que les pommes soient tendres, soit environ 20 minutes.

Retirer le bâton de cannelle.

Réduire en purée le mélange en petites quantités dans un robot culinaire.

Remettre le mélange dans la casserole, ajouter la crème 15 % et la crème sure et bien mélanger.

Ajouter le jus de citron.

Laisser refroidir au réfrigérateur.

Servir

Ingrédients

4 pommes pelées, épépinées et coupées en dés

3/4 de tasse de vin blanc

1/4 de tasse de jus de pomme

1/4 de tasse de sucre blanc

1 bâton de cannelle

1/4 de tasse de crème 15 %

1/4 de tasse de crème sure

2 c. à soupe de jus de citron

Soupe aux pêches

Réduire en purée les pêches et le gingembre dans un robot culinaire.

Ajouter la crème et le rhum.

Laisser refroidir au réfrigérateur.

Servir.

Ingrédients

5 pêches pelées, dénoyautées et coupées en dés.

1 c. à thé de gingembre moulu

1 1/2 tasse de crème 15 %

2 c. à soupe de rhum

Soupe aux pêches

Soupe aux abricots

Soupe aux nectarines

Réduire en purée les nectarines, le jus de pomme, le jus de canneberge,
le sel et le vinaigre balsamique dans un robot culinaire.
Retirer du robot culinaire, ajouter la ciboulette
et mélanger avec une cuillère.
Laisser refroidir au réfrigérateur.
Servir.

Ingrédients

8 nectarines pelées
et séparées en quartiers

1 tasse de jus de pomme

1 tasse de jus de canneberge

1/2 c. à thé de sel

1 c. à soupe de vinaigre balsamique

1/4 de tasse de ciboulette
fraîche hachée

Soupe aux abricots

Réduire en purée les abricots et le yogourt dans un robot culinaire.
Ajouter le gingembre et la liqueur d'orange et réduire en purée.
Laisser refroidir au réfrigérateur.
Garnir de feuilles de menthe.
Servir.

Ingrédients

10 abricots dénoyautés
et coupés en dés.

1 tasse de yogourt nature

7 feuilles de menthe

1/2 c. à thé de gingembre moulu

2 c. à soupe de liqueur d'orange

Soupe au cantaloup

Réduire en purée le cantaloup et 1/2 tasse de jus d'orange
dans un robot culinaire.

Mettre le mélange dans un bol.

Ajouter le jus de lime, la cannelle et le restant du jus d'orange.

Couvrir et laisser refroidir au réfrigérateur.

Servir.

Ingrédients

1 cantaloup pelé, épépiné
et coupé en dés

2 tasses de jus d'orange

1 c. à soupe de jus de lime

1/4 de c. à soupe de cannelle
moulue.

Soupe aux papayes
et coriandre

Réduire en purée le melon d'eau, les papayes, le lait de coco, le jus de lime,
le sel et 1/2 c. à thé de coriandre dans un robot culinaire.

Laisser refroidir au réfrigérateur.

Ajouter la crème sure, le jus de citron, le sucre et le reste de la coriandre,
puis laisser refroidir au réfrigérateur.

Servir..

Ingrédients

4 papayes pelées, épépinées
et coupées en dés

1/2 melon d'eau pelé, épépiné
et coupé en dés

1 1/2 tasse de lait de coco

1/4 de tasse de jus de lime

1 c. à thé de sel

1 c. à thé de coriandre fraîche
hachée

1/3 de tasse de crème sure

2 c. à thé de jus de citron

1 c. à thé de sucre

Soupe aux papayes et coriandre

Soupe aux bleuets

Soupe aux mûres

Réduire en purée les mûres, la cassonade, l'eau, les tranches de citron, la cannelle et les clous de girofle dans un robot culinaire.

Passer au tamis et laisser refroidir.

Ajouter le yogourt et bien mélanger.

Laisser refroidir au réfrigérateur.

Garnir de mûres et servir.

Ingrédients

4 tasses de mûres fraîches

1/2 tasse de cassonade

2 tasses d'eau

2 citrons tranchés finement

2 clous de girofle

2 tasses de yogourt nature

1/2 c. à t. de cannelle

Soupe aux bleuets

Mettre le zeste de citron, la cannelle et les clous de girofle dans une étamine.

Dans une casserole, mettre les bleuets, le miel, le jus d'orange et le jus de pomme. Ajouter l'étamine et laisser mijoter à feu moyen jusqu'à ce que les bleuets éclatent.

Retirer l'étamine.

Réduire le mélange en purée en petites quantités dans un robot culinaire.

Couvrir et laisser refroidir au réfrigérateur.

Servir.

Ingrédients

1 c. à soupe de zeste de citron

1 bâton de cannelle

2 clous de girofle

4 tasses de bleuets

4 c. à soupe de miel

2 tasses de jus d'orange

2 tasses de jus de pomme

1 tasse de crème sure

Soupe aux avocats et à l'orange

Soupe
aux baies et babeurre

Dans une casserole, mettre les bleuets, les framboises (en garder un peu pour la garniture), les fraises, l'eau, le sucre, le zeste et le jus d'orange.

Porter à ébullition à feu moyen-vif.

Réduire à feu moyen-doux, couvrir et laisser mijoter 20 minutes.

Laisser reposer 30 minutes.

Réduire le tout en purée en petites quantités dans un robot culinaire.

Ajouter le babeurre et mélanger.

Laisser refroidir au réfrigérateur.

Garnir de framboises et de bleuets et servir.

Ingrédients

2 tasses de jus d'orange

1 tasse de bleuets

1/2 tasse de framboises

1/2 tasse de fraises

1 1/2 tasse d'eau

1/2 tasse de sucre blanc

1/2 c. à thé de zeste d'orange

2 tasses de babeurre

Soupe
aux avocats et à l'orange

Ingrédients

Réduire en purée les avocats et le jus d'orange dans le robot culinaire.

Ajouter le yogourt, le tabasco et le sel et mélanger jusqu'à obtenir une texture lisse.

Couvrir et laisser refroidir au réfrigérateur.

Garnir de tranches d'orange et servir.

2 avocats pelés et coupés en dés

1 tasse de jus d'orange

1 tasse de yogourt nature

1/2 c. à thé de sauce tabasco

1/2 c. à thé de sel

Crème pommes et cari

Dans une casserole, faire chauffer l'huile d'olive à feu moyen-élevé.

Ajouter l'oignon et faire revenir quelques minutes, jusqu'à ce qu'il soit tendre.

Ajouter la poudre de cari et la farine. Laisser mijoter 1 minute.

Ajouter les pommes, l'eau et le concentré de bouillon. Porter à ébullition.

Réduire à feu doux et laisser mijoter à découvert 20 minutes.

Verser le mélange par petites quantités dans le robot culinaire ou le mélangeur et réduire en purée.

Remettre le mélange dans la casserole, ajouter la crème, puis laisser mijoter à feu doux en brassant de temps à autre.

Lorsque le mélange a atteint la température souhaitée, servir.

Ingrédients

2 c. à soupe d'huile d'olive

1 oignon pelé et haché

1 c. à soupe de poudre de cari

1 c. à soupe de farine

5 pommes rouges, pelées, épépinées et coupées en morceaux

3 tasses d'eau chaude

3 c. à soupe de concentré de bouillon de poulet

3/4 de tasse de crème 10 %

1/4 de c. à thé de poivre

Soupe de pétoncles

Dans une casserole, faire chauffer l'huile d'olive à feu moyen.

Ajouter les oignons, les carottes, l'ail et les poireaux.

Laisser mijoter 10 minutes en brassant de temps à autre.

Ajouter les tomates, l'eau, le persil, la feuille de laurier, le sel, le poivre et le thym. Porter à ébullition.

Réduire à feu moyen-doux, couvrir et laisser mijoter 30 minutes.

Ajouter les pétoncles et les crevettes et laisser mijoter à découvert une quinzaine de minutes.

Retirer la feuille de laurier et servir.

Ingrédients

1 c. à soupe d'huile d'olive

1/2 tasse de carottes pelées et coupées en rondelles

1/2 tasse d'oignons pelés et coupés en morceaux

3 gousses d'ail hachées

2 poireaux tranchés en rondelles

1 boîte de tomates en dés égouttées

4 tasses d'eau

1 c. à soupe de persil frais haché

1 feuille de laurier

1/2 c. à thé de sel

1/2 c. à thé de poivre

1/2 c. à thé de thym frais haché

1 3/4 lb de pétoncles coupés en morceaux

1/4 lb de crevettes

Soupe de pétoncles

Soupe de moules

Stracciatella

Verser le bouillon de poulet dans une casserole et porter à ébullition.

Dans un bol, fouetter les œufs, le parmesan et le persil.

Réduire à feu doux et verser doucement le mélange d'œufs dans le bouillon en brassant doucement.

Laisser mijoter en remuant de temps à autre jusqu'à ce que les œufs soient cuits.

Ajouter le sel et le poivre.

-Servir.

Ingrédients

5 tasses de bouillon de poulet

2 œufs

5 c. à soupe de parmesan frais râpé

1/4 de tasse de persil frais haché

Sel et poivre

Soupe de moules

Faire bouillir les moules quelques minutes dans de l'eau, puis réserver.

Dans un bol, mélanger le safran et le vin blanc, puis réserver.

Dans une casserole, faire fondre le beurre. Ajouter l'ail, l'oignon la carotte, le céleri, la muscade, le basilic, le thym, la feuille de laurier et la sauce soya. Couvrir et laisser mijoter une dizaine de minutes.

Ajouter l'eau et le mélange de vin et de safran.

Porter à ébullition.

Ajouter les morceaux de filets de sole. Réduire à feu moyen-doux et laisser mijoter 15 minutes, ou jusqu'à ce que le poisson soit à point.

Ajouter les moules et servir.

Ingrédients

1 1/2 lb de moules

2 c. à thé de safran

1 tasse de vin blanc sec

5 c. à soupe de beurre

5 gousses d'ail hachées

2 oignons pelés et coupés en morceaux

1 carotte pelée et coupée en rondelles

2 branches de céleri coupées en morceaux

1/4 de c. à thé de muscade

1 c. à thé de basilic frais haché

1 c. à thé de thym frais haché

1 feuille de laurier

1/2 tasse de sauce soya

6 tasses d'eau

2 lb de filets de sole coupés en morceaux

Ingrédients

BOULETTES

1 lb de bœuf haché maigre

1 œuf

1 c. à soupe de farine

1 gousse d'ail hachée

1/2 oignon pelé et haché

1 tomate sans la peau coupée en morceaux

Sel et poivre

SAUCE

1/3 de tasse de sauce tomate

1 petit oignon pelé et tranché

1 carotte pelée et râpée

1 branche de céleri tranchée

AUSSI

1 1/2 tasse de nouilles courtes

2 tasses d'eau

1/2 c. à thé de sel

Soupe aux boulettes

Préparer les boulettes en mélangeant le bœuf haché, l'œuf, la farine, l'ail, l'oignon, la tomate, le sel et le poivre. Façonner des boulettes et réserver.

Verser le bouillon de bœuf dans une casserole et laisser mijoter à feu moyen-doux une dizaine de minutes.

Mettre les boulettes dans le bouillon de bœuf. Ajouter la carotte, l'oignon, le céleri et la sauce tomate. Couvrir et laisser mijoter 20 minutes.

Dans une deuxième casserole, verser les deux tasses d'eau et le sel. Porter à ébullition. Ajouter les nouilles et laisser mijoter jusqu'à ce qu'elles soient tendres. Retirer du feu et égoutter.

Ajouter les nouilles à la soupe et servir.

Soupe aux boulettes

Soupe aux pois, courgettes et pancetta

Ingrédients

3 tasses de petits pois congelés (dégelés)

4 tranches de pancetta coupées en fines lanières

4 courgettes pelées et coupées en morceaux

2 gousses d'ail hachées

1 oignon rouge pelé et haché

3 c. à soupe de menthe fraîche hachée

1 tasse de bouillon de poulet

2/3 de tasse de crème 35 %

2 c. à soupe d'huile d'olive

Dans une casserole, faire chauffer l'huile d'olive. Ajouter l'oignon et la pancetta et faire revenir quelques minutes, ou jusqu'à ce que l'oignon soit ramolli.

Ajouter l'ail, les courgettes et 2 c. à soupe de bouillon de poulet. Laisser mijoter 15 minutes à feu moyen-doux en brassant de temps à autre. Dans une deuxième casserole remplie d'eau, faire bouillir les petits pois. Lorsqu'ils sont prêts, les retirer du feu, les égoutter et les ajouter à la pancetta et aux courgettes. Ajouter le bouillon de poulet et porter à ébullition. Réduire à feu doux et laisser mijoter 5 minutes.

Verser le mélange dans le robot culinaire ou le mélangeur par petites quantités et réduire en purée. Ajouter la menthe et réduire en purée. Remettre le mélange dans la casserole et ajouter la crème. Laisser mijoter en brassant de temps à autre jusqu'à obtenir la température souhaitée.

Noces à l'italienne

Ingrédients

2 c. à soupe d'huile d'olive

1 lb de bœuf haché maigre

1 œuf

1 c. à soupe de farine

1 gousse d'ail hachée

1 oignon pelé et haché

2 carottes pelées et coupées en morceaux

2 branches de céleri coupées en morceaux

10 tasses de bouillon de poulet

1 c. à thé de persil frais haché

1 c. à thé de thym frais haché

Sel et poivre

Dans un bol, mélanger le bœuf haché, l'œuf, la farine, l'ail, 1 c. à soupe d'oignon, le sel et le poivre. Façonner de toutes petites boulettes de 1/2 pouce. Dans une casserole, faire chauffer 1 c. à soupe d'huile d'olive. Ajouter les boulettes de bœuf haché et les faire revenir jusqu'à ce qu'elles aient perdu leur teinte rosée. Réserver.

Remettre la casserole sur le feu et ajouter 1 c. à soupe d'huile d'olive. Ajouter le reste de l'oignon, le céleri et les carottes. Faire revenir jusqu'à ce que les légumes soient ramollis. Ajouter le persil, le thym, le sel et le poivre, et faire revenir 1 ou 2 minutes. Ajouter le bouillon de poulet et porter à ébullition. Réduire à feu doux et laisser mijoter 15 minutes.

Ajouter les boulettes de viande et laisser mijoter jusqu'à ce que les boulettes soient bien chaudes.

Servir

Noces à l'italienne

Soupe aux gourganes du Saguenay

Soupe aux arachides

Dans une casserole, faire chauffer l'huile d'olive.

Ajouter le piment, le poivron, les oignons et l'ail. Faire revenir jusqu'à ce que l'oignon soit ramolli.

Ajouter les tomates et laisser mijoter quelques minutes, jusqu'à ce qu'elles aient réduit.

Ajouter le jus des tomates et le bouillon de poulet. Porter à ébullition.

Ajouter le riz et laisser mijoter à feu moyen-doux 45 minutes.

Dans un bol, mélanger le beurre d'arachide et un peu du bouillon de la soupe jusqu'à obtenir une substance lisse.

Verser le mélange dans la casserole et laisser mijoter 10 minutes en brassant de temps à autre.

Servir.

Ingrédients

2 c. à soupe d'huile d'olive

2 oignons pelés et hachés

1 piment rouge haché

1 poivron vert haché

3 gousses d'ail hachées

1 boîte (28 oz) de tomates en dés

10 tasses de bouillon de poulet

1/2 tasse de riz brun

1/2 tasse de beurre d'arachide naturel (non salé et non sucré)

Sel et poivre

Soupe aux gourganes du Saguenay

Faire bouillir dans une marmite environ 12 tasses d'eau avec le lard salé.

Ajouter l'oignon, les herbes, le sel et le poivre.

Ajouter les gourganes, les carottes, le céleri, les haricots et l'orge.

Laisser mijoter à feu doux 2 1/2 heures.

Servir.

Ingrédients

2 lb de gourganes épluchées

1/4 de lb de lard salé

5 carottes pelées et coupées en morceaux

1 oignon pelé et haché

10 haricots jaunes coupés en petits morceaux

1 branche de céleri coupée en morceaux

1 c. à soupe de thym

1 c. à soupe de basilic

1 tasse d'orge perlée

Sel et poivre

Soupe au chou et à la saucisse

Soupe aux poivrons

Dans une casserole, faire revenir le bœuf haché jusqu'à ce qu'il ait perdu sa teinte rosée. Égoutter et réserver.
Dans la casserole, faire chauffer l'huile d'olive à feu moyen-doux.
Ajouter l'oignon, les poivrons, le sel et le poivre.
Faire revenir jusqu'à ce que les oignons soient ramollis.
Ajouter le cumin et le paprika et faire revenir 1 ou 2 minutes.
Ajouter la pâte de tomate, les tomates, le riz, le bœuf et le bouillon de poulet. Porter à ébullition. Réduire à feu moyen-doux et laisser mijoter une dizaine de minutes.
Servir.

Ingrédients

1 c. à soupe d'huile d'olive

1 oignon pelé et haché

2 poivrons verts coupés en petits morceaux

1 boîte (28 oz) de tomates en dés

1 lb de bœuf haché maigre

4 tasses de bouillon de poulet

2 tasses de riz brun (ou mélangé) cuit

1 boîte (5,5 oz) de pâte de tomate

1/2 c. à thé de cumin

1/2 c. à thé de paprika

Sel et poivre

Soupe au chou et à la saucisse

Dans une casserole, faire chauffer l'huile d'olive à feu moyen-doux.
Ajouter l'oignon, le céleri et les saucisses.
Faire revenir jusqu'à ce que l'oignon soit ramolli et que les saucisses aient atteint une couleur dorée.
Ajouter le chou. Laisser mijoter jusqu'à ce que le chou soit complètement ramolli.
Ajouter un peu du bouillon de poulet et bien gratter le fond de la casserole avec une cuillère en bois pour décoller les morceaux de saucisse. Ajouter le reste du bouillon de poulet, les pommes de terre, le thym, la marjolaine, le sel et le poivre.
Porter à ébullition.
Réduire à feu doux et laisser mijoter 10 minutes.
Servir.

Ingrédients

1 c. à soupe d'huile d'olive

1 oignon pelé et haché

1 branche de céleri hachée

6 pommes de terre pelées et coupées en dés

4 saucisses allemandes douces coupées en diagonale

8 tasses de bouillon de poulet

4 tasses de chou râpé

1 c. à thé de thym frais haché

1 c. à thé de marjolaine

Sel et poivre

Soupe Won Ton au veau et au citron de Ghislain

Ingrédients

FARCE

1 lbde veau haché

1 c. à soupe de sauce de poisson

1 œuf

1/2 c. à thé de fécule de maïs

1 c. à soupe d'oignon vert

1/2 c. à thé de coriandre

1 c. à soupe de basilic

1 gousse d'ail hachée

1 c. à thé de sauce soya

Sel et poivre

BOUILLON

6 tasses de bouillon de poulet

4 c. à thé de jus de citron

1 petit piment chili

AUSSI

1/2 paquet de pâtes Won Ton

1 oignon vert coupé en rondelles

Lait

Dans un bol, mélanger tous les ingrédients pour faire la farce jusqu'à l'obtention d'une pâte homogène.

Mettre environ 1 c. à thé de farce sur une pâte.

Bien refermer la pâte autour de la farce en ajoutant un peu de lait sur le pourtour pour la tenir fermée.

Répéter l'opération pour chaque pâte

Déposer chaque pâte farcie sous un linge humide pour la tenir humide.

Dans une casserole, mettre le bouillon de poulet, le jus de citron et le piment chili. Porter à ébullition, puis réduire à feu moyen.

Dans une deuxième casserole, faire bouillir de l'eau. Y faire tremper les pâtes farcies jusqu'à ce que le dessus soit cuit, puis les transférer dans le bouillon.

Verser dans des bols et saupoudrer d'oignons verts, puis servir.

Soupe Won Ton au veau et au citron de Ghislain

Index

malins plaisirs

Des livres qui mettent l'eau à la bouche!

De la même collection, découvrez aussi :